Bonne nuit, m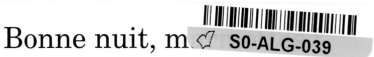

Simone Schmitzberger est née en 1950 à Darney dans les Vosges. Très tôt elle s'intéresse à la littérature et obtient une maîtrise de lettres modernes puis devient rédactrice à l'*Est Républicain*. Parallèlement, elle écrit des histoires pour enfants. Beaucoup de ses livres, publiés chez Nathan et Bayard Presse, reflètent sa passion pour les animaux – sauf ceux qui piquent ! Mariée et mère de trois enfants, elle vit à Épinal.

Du même auteur dans Bayard Poche :
Chouette soirée - Violettes, dînette et fête - Basile le robot (Les belles histoires)

Volker Theinhardt est né à Stendal (RFA) en 1941. Il a fait ses études à l'École des beaux-arts de Braunschweig, puis en France, grâce à une bourse de l'Office allemand d'échanges universitaires. Aujourd'hui il est spécialisé dans l'illustration de livres pour enfants. Ses ouvrages sont publiés par les éditions Hachette, Larousse, Nathan, Flammarion, Hatier et Bayard. Il travaille aussi pour les revues jeunesse à Bayard Presse.

Du même illustrateur dans Bayard Poche :
Chouette soirée - Le dragon chanteur - Le dragon Griffar Ier - La maison de Moufette - La chappendicite - Sorcière contre robot (Les belles histoires)
William et Fred - Inspecteur Colombus (J'aime lire)

© Bayard Éditions, 1993
Bayard Éditions est une marque
du département Livre de Bayard Presse
ISBN 2. 227. 72171. 5

Bonne nuit, marmottes !

Une histoire écrite par Simone Schmitzberger illustrée par Volker Theinhardt

Deuxième édition

BAYARD ÉDITIONS

Madame Bouillotte,
la marmotte,
se tricote une culotte,
là-haut sur son balcon,
au-dessus du ravin*.
De temps en temps,
elle frissonne :
– Par ma pelote, ça sent l'hiver !
Nom d'un polochon,
voilà la mauvaise saison !

* Ce mot est expliqué page 45, n° 1.

Un soir, c'est la fête dans la montagne.
Toutes les marmottes sont réunies
pour se dire bonsoir avant l'hiver.
Elles échangent des recettes de tisanes
et des trucs pour bien dormir.
Pour finir, chaque marmotte raconte
une histoire à dormir debout.

Les toutes petites marmottes
tombent bientôt de sommeil.
Allons, il est temps de se séparer !
Bonne nuit, les marmottes !
Et chacune rentre chez soi.

Avant de se coucher,
madame Bouillotte rentre son paillasson[*]
et elle verrouille[*] sa porte.
En fermant ses volets,
elle s'aperçoit qu'il neige :
– Nom d'une marmotte !
L'hiver est à ma porte !
Pressons, pressons !
Vite, mes deux capuchons,
mes trois culottes et mon caleçon !

* Ces mots sont expliqués page 45, n° 2 et page 46, n° 3.

Mais comme elle s'approche
de son lit,
elle entend frapper à sa porte.
Bouillotte tourne deux fois
sa grosse clé
et elle reçoit un boule de neige
en pleine figure !
C'est Linotte, une jeune marmotte
qui n'a jamais envie d'aller se coucher !

Elle dit à Bouillotte :
– Viens jouer avec moi,
on fera une marmotte de neige !
Mais Bouillotte lui ferme la porte au nez.

Elle se fait une tisane.
Puis elle prend son radio-réveil
et elle le règle
sur « grand beau temps ».
Enfin,
elle se glisse
avec délice
sous son édredon.

Toc, toc, toc !
La pauvre marmotte
qui commençait à s'endormir
se réveille en sursaut.
Elle crie :
— Ce n'est pas une saison
pour déranger une marmotte !
Passez votre chemin
et revenez
l'été prochain !

La voix derrière la porte dit :
– Ne te fâche pas, Bouillotte,
je passais juste
te dire bonne nuit !
C'est Bouky, le bouquetin
qui habite les rochers.
Bouillotte se relève
et elle ouvre sa porte.
Elle dit :
– Merci, Bouky !
Mais j'étais presque
endormie !

Bouillotte se recouche,
mais elle n'a plus sommeil.
Elle prend son tricot, pour se calmer.
Une maille à l'endroit,
une maille à l'envers...
Le temps passe !
À force de compter
les mailles,
Bouillotte s'endort,
avec ses lunettes
sur le nez et la
lampe allumée.

Toc, toc, toc !
Bouillotte
sursaute et elle se pique
la patte avec ses aiguilles
à tricoter.
Elle crie tout fort :
– Je dors ! je dors !
De l'autre côté
de la porte,
la voix dit :
– Mais non, tu ne dors pas
puisque tu me parles !

Bouillotte se relève
et elle ouvre.
C'est sa cousine Charlotte
qui vient lui apporter
une comptine pour dormir !

Bouillotte répond sèchement:
– Je les connais par cœur,
tes comptines!
Charlotte insiste:
– Celle-là, c'est une nouvelle!
Allez, répète avec moi:
La petite sotte
qui barbote dans la cancoillotte*...
Bouillotte s'écrie:
– Oh, laisse-moi tranquille!
Cette comptine est idiote.

* Ce mot est expliqué page 46, n° 4.

Quand Charlotte est partie,
Bouillotte regagne son lit
et elle éteint la lampe.
Mais elle est trop énervée
pour s'endormir
et elle rallume sa lampe.
Maintenant,
il faut qu'elle se lève
pour aller faire pipi.

Et quand elle se recouche,
elle se met à tousser.
Elle se relève encore
pour prendre du sirop de gentiane*.
Elle prend aussi
une pastille à l'edelweiss*
et elle se remet au lit.

* Ces mots sont expliqués page 47, n° 5.

Elle se souvient alors
de la bonne vieille comptine
que sa maman lui a apprise
quand elle était
une toute petite marmotte.
Elle la dit tout doucement:
— *La marmotte dondon*
sous son gros édredon
ronfle, ronfle, et ron et ron.

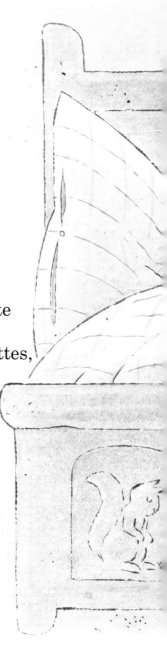

*La marmotte dondaine
avec ses bas de laine
rêve, rêve,
dondaine et dondon.*

Chutt! Madame Bouillotte
s'est endormie,
comme toutes les marmottes,
en attendant
que les beaux jours
reviennent.

Quand on dort,
on ne voit pas
le temps passer…
Avec le soleil du printemps,
la neige commence à fondre
et les marmottes se réveillent.
Mais Bouillotte
dort toujours.

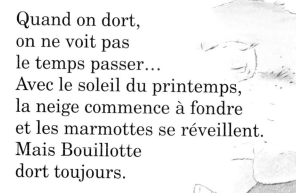

Charlotte et Linotte
passent et repassent devant sa porte.
Elles se demandent
si Bouillotte n'est pas morte…
Alors un jour,
elles frappent de toutes leurs forces.

La porte s'ouvre enfin
et Bouillotte, éblouie*,
se frotte les yeux :
– Ça alors ! Quel soleil !
À ce moment-là,
le radio-réveil
se met en marche.
Il joue la musique
de la danse
des marmottes.
Le printemps
est revenu
dans la montagne !

* Ce mot est expliqué page 47, n° 6.

LES MOTS DE L'HISTOIRE

1. Un **ravin** est un passage
étroit et profond creusé par une rivière
dans la montagne.

2. Un **paillasson**
est un petit tapis épais aux poils raides.
On le pose à la porte de la maison
pour s'essuyer les pieds avant d'entrer.

3. **Verrouiller** sa porte,
c'est la fermer bien solidement
avec un verrou.

4. La **cancoillotte** est un fromage mou
assez fort. On le fabrique
dans une région de France
qui s'appelle la Franche-Comté.

5. La **gentiane** et l'**edelweiss**
sont des fleurs de montagne.
On fait des boissons amères
avec les racines de la gentiane.
Et l'edelweiss pousse très haut
dans la montagne, là où il y a toujours
de la neige et de la glace.

6. Quand on est resté longtemps
dans un endroit sombre
et que, tout à coup, il y a une grande
lumière, ça fait mal aux yeux, on est
ébloui.

Achevé d'imprimer en février 1996 par OBERTHUR Graphique
35000 RENNES - N° 100
Dépôt légal éditeur n° 2397- Octobre 1993
Imprimé en France